Arian Poced Morgan

Rhian Mair Evans

Lluniau Helen Flook

Gomer

Cyhoeddwyd gyntaf yn 2012 gan
Wasg Gomer, Llandysul, Ceredigion, SA44 4JL.
www.gomer.co.uk

ISBN 978 1 84851 536 9

Cyhoeddwyd gyda chefnogaeth Llywodraeth Cymru.

Argraffwyd a rhwymwyd yng Nghymru gan
Wasg Gomer, Llandysul, Ceredigion.

Pennod 1

Gan bwyll, Morgan!

Morgan oedd un o'r bechgyn mwyaf trwsgl yng Nghymru gyfan! Roedd e bob amser yn torri pethau . . . yn llithro ar bethau . . . neu'n cwympo ar ei ben-ôl!

Ble bynnag roedd e'n mynd, a beth bynnag roedd e'n ei wneud, roedd rhywbeth yn siŵr o fynd o'i le.

A dweud y gwir, anaml iawn y byddech chi'n ei weld heb rwymyn am ei ben neu blastr ar ei goes.

Ond doedd neb arall yn ei deulu yn debyg iddo.

Doedd neb arall byth yn torri dim byd, nac yn llithro ar bethau, nac yn cwympo ar ei ben-ôl!

Ond roedden nhw i gyd wedi hen arfer â throeon trwstan Morgan.

Pennod 2

Tanosorws Tanllyd!

Un bore, roedd Morgan yn gwylio'r teledu pan ddaeth hysbyseb am degan newydd sbon ar y sgrin.

Y Tanosorws Tanllyd!
Mae'r deinosor hwn
yn gallu hedfan, nofio,
a rhuo'n swnllyd!

Dyma'r tegan gorau roedd Morgan wedi'i weld erioed!

'O waw!' meddai. '*Rhaid* i mi gael un o'r rheina!'

Rhedodd i fyny'r grisiau i'w stafell wely a chwilio am ei gadw-mi-gei. Arllwysodd yr arian ohono a dechrau cyfri'r darnau arian sgleiniog.

'Un, dwy, tair, pedair, pum punt,' cyfrodd Morgan. 'Pum punt a hanner can ceiniog.'

Doedd dim digon o arian ganddo, sylweddolodd yn siomedig. Roedd y Tanosorws Tanllyd yn costio deg punt.

Edrychodd Morgan ar y calendr oedd yn hongian ar y wal. Dim ond mis Mawrth oedd hi, a doedd ei ben-blwydd ddim tan mis Gorffennaf. Roedd hynny'n teimlo'n bell iawn, iawn i ffwrdd.

'Alla i byth aros tan hynny i gael y Tanosorws Tanllyd!' meddai.

Dim ond un peth oedd amdani, felly – roedd yn rhaid iddo gael mwy o arian poced! Ond o ble, tybed?

Pennod 3

Na, paid, Morgan!

Ga i olchi'r car, Dad?

Dim gobaith caneri! Dydw i ddim eisiau i ti grafu'r paent.

Mam, ga i ddwstio'r tŷ?

Na chei! Dydw i ddim eisiau i ti dorri fy llestri gorau.

Dim diolch! Dydw i ddim eisiau gwallt fel pync.
Ga i dorri eich gwallt, Mam-gu?

Tad-cu, ga i olchi eich dannedd dodi?
Dim diolch! Dydw i ddim eisiau eu colli nhw!

Roedd Morgan yn teimlo'n drist iawn. Eisteddodd ar waelod y grisiau a'i ben yn ei ddwylo. Doedd dim gobaith ganddo gael arian poced os nad oedd ei deulu'i hun yn fodlon rhoi cyfle iddo!

Nid arno fe roedd y bai fod pethau'n mynd o'i le weithiau, meddyliodd yn siomedig.

Aeth Mot, y ci mawr blewog, i orwedd yn ei fasged. Roedd un llygad ar gau, a'r llall yn gilagored yn cadw golwg ar Morgan.

Eisteddodd Morgan ar lawr i roi mwythau i Mot. Byddai hynny'n gwneud iddo deimlo'n well bob amser.

‘Wrth gwrs!’ meddai Morgan gan godi ar ei draed yn sydyn, a gwên fawr ar ei wyneb. ‘Fe af i â Mot am dro. Bydd Mam a Dad yn siŵr o roi arian poced i mi wedyn!’

Pan glywodd Mot syniad Morgan, doedd e ddim yn hapus o gwbl.

Fel arfer, roedd Mot wrth ei fodd yn mynd am dro – ond doedd e ddim yn hoffi mynd gyda Morgan. Y tro diwethaf i'r ddau fynd i'r parc, roedd Morgan wedi baglu dros y tennyn a sefyll ar gynffon Mot! Roedd ei gynffon wedi bod yn boenus am ddiwrnodau ar ôl hynny.

‘Dwi’n mynd â Mot am dro!’ gwaeddodd Morgan, cyn cau’r drws yn glep ar ei ôl.

'Na, paid!' gwaeddodd ei rieni. Ond roedden nhw'n rhy hwyr – roedd Morgan a Mot wedi diflannu.

Pennod 4

Croen banana

Cerddodd Morgan a Mot i lawr y stryd, dros y bont, heibio i'r ysgol a draw i'r parc.

Cawson nhw amser braf yn siglo ar y siglen, yn neidio ar y si-so ac yn llithro i lawr y llithren.

Roedd y ddau'n mwynhau mas draw. Ond ymhen dim, roedd hi'n bryd mynd adref.

Cerddai Mot yn ufudd wrth ochr Morgan a chwifio'i gwt yn gyfeillgar bob cam o'r ffordd. Stopiodd i wneud pi-pi yn erbyn boncyff coeden. Llarpiodd hanner brechdan ham a chaws oedd wedi disgyn o fin sbwriel. Roedd Mot yn ymddwyn yn arbennig o dda.

Ond doedd Morgan, ar y llaw arall, ddim mor lwcus. Roedden nhw bron â chyrraedd adref pan faglodd dros ei draed ei hun . . . a llithro ar groen banana!

'O diar!' ebychodd.

Pennod 5

Mot a Mesen

Drwy lwc, dyna'r unig beth gwael ddigwyddodd iddo, ac roedd Morgan yn edrych ymlaen at gael arian poced am fynd â Mot am dro.

Roedden nhw bron â chyrraedd adref . . . dim ond ychydig gamau eto. Ond wrth fynd heibio'r tŷ drws nesaf, arafodd Morgan er mwyn edmygu gardd Mrs Persawrus.

Gardd daclus iawn oedd hon, yn llawn blodau lliwgar. Roedd Mrs Persawrus wrth ei bodd â'r cennin Pedr melyn ac yn dwlu ar y tiwlips porffor. Roedd hi'n mwynhau bod yn yr ardd.

Yn sydyn, sylwodd Morgan ar Mesen, cath Mrs Persawrus, yn eistedd ar sil y ffenest. Ac roedd Mot wedi'i gweld hi hefyd!

Doedd Mot ddim yn hoffi Mesen, a doedd Mesen ddim yn hoffi Mot! Eisteddai Mesen gan lyfu'i phawen yn hamddenol a syllu ar Mot.

Dechreuodd Mot gyfarth yn ffyrnig ar y gath felyngoch, a thynnu'n wyllt ar ei dennyn. Llithrodd Morgan ar y llwybr, a chwympo'n bendramwnwgl i'r llawr.

Ag un naid fawr, llamodd Mot dros y gât i ardd Mrs Persawrus a rhedeg tuag at Mesen.

Gwaeddodd Morgan ar ei ôl.

Ond wnaeth y ci ddim gwrando arno o gwbl. Roedd e'n cael llawer gormod o hwyl yn cwrso Mesen a chyfarth nerth ei ben.

Rhedodd Mot a Mesen y ffordd yma . . . a'r ffordd acw. Rasiodd y ddau rownd a rownd a rownd fel dau chwyrligwgan.

Llithrodd y ddau drwy'r borfa . . . a thasgu drwy'r blodau lliwgar.

Yn sydyn, clywodd Morgan lais ei fam yn gweiddi. Roedd hi'n sefyll yn ei gardd ffrynt, a golwg flin iawn arni.

'Mot!' gwaeddodd yn grac a'i bochau'n goch.

Wrth glywed ei llais, stopiodd Mot yn stond yng nghanol yr ardd a'i gynffon rhwng ei goesau. Gwelodd Mesen ei chyfle a neidio i fyny ar y ffens.

A dyna i chi lanast oedd yng ngardd Mrs Persawrus! Roedd pridd dros y lle i gyd a'r holl flodau prydferth wedi malu'n rhacs. Druan o Mot – roedd e'n gwybod ei fod e'n mynd i gael pryd o dafod. Ond doedd e ddim mewn hanner cymaint o helbul â Morgan!

Pennod 6

Mrs Persawrus

Camodd Mrs Persawrus allan o ddrws ffrynt ei thŷ ac edrych o'i chwmpas yn syn.

'Beth yn y byd sy wedi digwydd?' holodd.

Gwelodd hi Mesen yn eistedd ar y ffens yn edrych yn ddiniwed.

Roedd Mot yn eistedd yng nghanol twmpath o bridd a hanner cenhinen Bedr yn pwyso'n druenus ar ei ben. Doedd e *ddim* yn edrych yn ddiniwed!

Agorodd Mrs Persawrus ei cheg led y pen a dechrau llefain y glaw!

Rhuthrodd Mam draw ati. ‘Peidiwch â phoeni,’ meddai, gan geisio’i chysuro. ‘Bydd Morgan yn defnyddio’i arian ei hun i brynu blodau newydd i chi!’

O na! meddyliodd Morgan. Roedd hyn yn ofnadwy! Nawr, roedd angen arian arno i brynu Tanosorws Tanllyd *a* blodau i Mrs Persawrus! Doedd hyn ddim yn deg o gwbl!

'Ond fydd cael blodau newydd ddim yn fy helpu i o gwbl!' llefodd Mrs Persawrus yn ddiflas. 'Rwy'n rhy hen i glirio'r llanast yma i gyd! Mae fy nghefn yn boenus ac rwy'n cael trafferth i blygu. Mae chwynnu a dyfrio'r blodau yn fy mlino i'n lân. Alla i ddim garddio!'

'Daw Morgan draw i glirio'r ardd a phlannu'r blodau newydd i chi ddydd Sadwrn nesa,' dywedodd Mam yn bendant. Gwgodd yn gas ar ei mab ar yr un pryd.

‘O diolch! Byddai hynny’n help mawr,’ atebodd Mrs Persawrus, gan snwffian yn druenus.

‘Dewch i gael cwpaned fach o de,’ meddai Mam wrthi.

Ond roedd Morgan yn meddwl bod clirio gardd Mrs Persawrus yn syniad ofnadwy! Byddai rhywbeth yn siŵr o fynd o'i le!

Beth petai'n colli rheolaeth ar y bibell ddŵr ac yn gwlychu Mrs Persawrus? Beth petai'n baglu dros raca, a hwnnw'n torri'r ffenest? Beth petai . . ?

Pennod 7

Garddio

Y dydd Sadwrn canlynol, bu Morgan yn gweithio'n galed iawn yng ngardd Mrs Persawrus.

Yn gyntaf, cliriodd y llanast roedd Mot a Mesen wedi'i wneud . . . ac roedd tipyn o lanast yno! Defnyddiodd whilber i symud y tomenni o bridd oedd yng nghanol y lawnt.

Rhoddodd y blodau oedd wedi torri mewn sach blastig a sgubo'r llwybr oedd yn arwain at y drws. Erbyn hyn, roedd Morgan yn chwys domen!

Plannodd y blodau newydd mewn dim o dro. Ond gan ei fod e'n mwynhau ei hun cymaint, penderfynodd lanhau'r fainc bren a gosod hadau ar y bwrdd adar hefyd! Erbyn amser cinio, roedd gardd Mrs Persawrus yn werth ei gweld!

Roedd Morgan wedi cael bore bendigedig. Doedd e ddim wedi sylweddoli bod garddio'n gallu bod yn gymaint o hwyl.

‘O, Morgan!’ ebychodd Mrs Persawrus yn syn pan ddaeth allan o’r tŷ amser cinio. ‘Mae’r ardd yn edrych yn brydferth iawn! Rwyt ti wedi gwneud gwaith campus! Diolch yn fawr iawn i ti!’

Roedd hi wrth ei bodd! Agorodd ei phwrs a rhoi deg punt iddo!

'Fyddet ti'n fodlon dod i dacluso'r ardd bob bore Sadwrn?' gofynnodd Mrs Persawrus yn obeithiol. 'Byddwn i'n rhoi ychydig o arian poced i ti am wneud.'

Doedd Morgan ddim yn gallu credu ei lwc! Roedd e'n mynd i gael arian poced o'r diwedd!

‘Byddwn i wrth fy modd!’ atebodd yn wên o glust i glust.

Yn rhyfedd iawn, doedd dim byd wedi mynd o'i le y bore hwnnw wrth i Morgan arddio. Wnaeth e ddim torri dim byd . . . na llithro ar ddim . . . na hyd yn oed cwympo ar ei ben-ôl!

Hynny yw, tan iddo ffarwelio â Mrs Persawrus . . .

Wps!